ギルガメシュ王のたたかい

ルドミラ・ゼーマン文/絵　松野正子訳

岩波書店

今では，ウルクは，とてもやすらかな都になっていました。
ギルガメシュ王は，長いあいだ友だちがなく，そのために，たいそうざんこくで，人びとをくるしめましたが，エンキドゥという友だちができてから，おもいやりのある，やさしい王になりました。ギルガメシュ王とエンキドゥは，ユーフラテス川をのぼりくだりしては，都をながめ，計画をねり，すばらしい建物をたてさせて，人びとのために，いっしょうけんめいはたらいていました。

一日のしごとをおえると，ギルガメシュとエンキドゥはくつろいで，ゲーム盤であそび，それを，シャマトは，そばで，歌をうたいながら，見ていました。
人びとはみんな，シャマトがだいすきでした。シャマトが，エンキドゥを森からつれてきてくれたので，ウルクが，こんなにやすらかな都になったのでしたから。
シャマトの声がきこえると，人びとは立ちどまって耳をすまし，シャマトへの感謝の気持ちでいっぱいになるのでした。

ところが，このやすらぎと，よろこびの日々は，
ながつづきしませんでした。
ある日の夕方，おそろしいことがおこりました。
とつぜん，すさまじい音をたてて柱がくずれ，屋根が
おちました。人びとはにげまどい，シャマトもたすけを
もとめてさけびました。エンキドゥがかけよりましたが，
まにあいませんでした。エンキドゥは，息たえた
シャマトをだいて，ギルガメシュのところへ行きました。
「なぜだ？　なぜ，こんなことに？」エンキドゥは
さけびました。

「かいぶつフンババのしわざだ。」とギルガメシュは，はげしくおこって，いいました。「フンババは，山のなかにかくれている。またくるまえに，ほろぼさねばならぬ。きみがいやなら，我ひとりで行く。我は，死もおそれぬ。」

「わたしは，おそれる。」とエンキドゥはこたえました。けれども，そういってから，エンキドゥは，うつくしいシャマトを見ました。そして，おそれにうちかって，いいました。
「行こう。わたしも，いっしょに行くぞ。」

ギルガメシュは，がんじょうなよろいかぶと，大きな重いけん，やり，おのをつくらせました。
人びとは，王とエンキドゥが，きけんなしごとをしようとしていることを知り，城壁の門まで見おくりにきて，ふたりの勝利と無事をねがいました。
ゆくてには，あれはてた砂漠がひろがっていました。

ふたりは，ひたすら走りつづけました。ひるまは太陽がてりつけ，夜はつめたい風がふきあれました。まいばん，おそろしい夢が，ギルガメシュをなやませました。山がふたりの上にくずれかかる夢，地面がさけてふたりをのみこむ夢，空から火がふりそそぐ夢でした。エンキドゥはギルガメシュをなぐさめ，はげましました。

やっと山につくと，びっしりとはえたスギの木が，ゆくてをふさいでいました。

ふたりは戦車をすて，木を切りたおしながらすすみました。

「なにしにきた，ギルガメシュ？　おまえなど，ばらばらにして，肉をハゲワシのえさにしてくれるぞ。」

おそろしい，ほえ声がして，山のてっぺんから，かいぶつフンババが，火とけむりをはきだしながら，立ちあがりました。

いなずまがはしり，かみなりがとどろきました。石と灰がふりそそぎ，あたりが見えなくなりました。
ギルガメシュは，フンババの大きなかぎづめで，つかみあげられました。

そのとき，風がフンババのはきだすけむりをふきとばし，フンババの顔があらわれました。全身の力をこめて，ギルガメシュは，フンババの口に，やりをつきたてました。

うなり声をあげてフンババがたおれ，地面がゆれうごきました。ギルガメシュとエンキドゥは，すかさず，おのをふるいました。
ふたりが，死んだかいぶつのそばに立っていると，そこへ，つばさのある馬のひく馬車にのって，女神のイシュタールがやってきて，いいました。

「ギルガメシュよ。風をおくって，おまえをすくったのは，このわたし。さあ，きなさい。おまえは，わたしの夫になるのだ。おまえには，金の戦車をあたえよう。地上にすむ王たちは，おまえにこしをかがめ，おまえの足にくちづけするであろう。」

「去れ，イシュタール。」とギルガメシュは，こたえました。「富や力で，我をまどわすのはやめよ。我は大いなる都をきずいた。わが都と，人びとをおいて，どこへ行くこともせぬ。人びとは我を，我は人びとを，愛しうやまっているのだ。我には友がある。わがために命をささげてくれる友が。ほかには，なにもいらぬ。」

イシュタールの目が，ぎらりとひかりました。

「なまいきなギルガメシュ。ことわるというのか？このわたしをこばむのか？」こういうと，イシュタールは，いかりとにくしみにもえて，走りさっていきました。

ギルガメシュとエンキドゥは，ウルクへかえりました。
都じゅうが，ふたりの英雄を，よろこびむかえました。

けれども，よろこびにひたるひまはありませんでした。
天がさけ，イシュタールがしかえしにやってきたのです。

イシュタールは，空をかけめぐるかいじゅう，天の雄牛にひきづなをつけ，ウルクへのりこみました。雄牛の黒いかげが都をおおい，恐怖が人びとをおそいました。

イシュタールは，雄牛がウルクの都をうちこわすようすを，城壁の上で見ていました。雄牛のひづめは，建物をうちくだき，しっぽは，石やれんがをちりのようにふきとばしました。雄牛のはないきで，地面には，地震のときのようにあながあきました。雄牛にむかっていった人びとは，くずれおちる岩におしつぶされました。動物のことをよく知っているエンキドゥだけが，ようやく，雄牛にちかづきました。

エンキドゥは，すがたを見られないように，横手からちかより，雄牛のしっぽをつかまえ，せなかによじのぼると，しっかりと角をつかみました。
雄牛がエンキドゥをふりおとそうと，あばれまわるのを見て，イシュタールはかなきり声をあげました。
エンキドゥは，ひっしでしがみついていました。雄牛は，すさまじいはないきをたてて，城壁をとびこえました。

イシュタールは目のまえのできごとが信じられずに，さけび声をあげながら，城壁の上を走ってきました。雄牛が地面におりると，ギルガメシュは，そのまえにとびだし，雄牛とむかいあいました。雄牛は，おどろいて足をとめました。そのときをのがさず，エンキドゥが雄牛のせなかからとびおり，がっちりと，しっぽをつかみました。エンキドゥが力いっぱい雄牛をひっぱり，ギルガメシュが切りつけました。

雄牛がたおれ，それを見たイシュタールのするどいさけび声がひびきわたりました。
またもや，ギルガメシュはイシュタールにさからいました。ギルガメシュは，英雄として，これまでいじょうに人びとから，あがめられるでしょう。
「なんとかして，おまえをやっつけてやる！　おまえをこらしめるまで，けして手をゆるめないぞ。」
イシュタールはどなりました。
「わたしの親友をおどかすのはやめろ！」とエンキドゥがさけびかえし，雄牛のしっぽを切りとって，
イシュタールになげつけました。

ウルクの人びとは，都を恐怖におとしいれた雄牛を見ようと，城壁の外にあつまってきました。そして，またもやじぶんたちを，すくってくれた，王とその友をほめたたえました。

ギルガメシュとエンキドゥは，ふたりでやりとげたことをほこりに思い，よろこび，いわいました。
イシュタールは，首にまきついた雄牛のしっぽの重さをずっしりと感じていました。くやしさに，息もつまりそうでした。イシュタールは，さいごのふくしゅうをくわだてました。

地上のかいぶつも，天上のかいじゅうも，ギルガメシュをきずつけることができなかったので，イシュタールは，ほかの方法をかんがえました。エンキドゥを，ひどい病気にかからせたのです。一日一日と，エンキドゥはやせおとろえ，ねむりこんでしまいました。

「友よ，我をのこしていかないでくれ。我らは，ともにたたかい，勝った。我らには，なすべきことが，まだまだあるのだ。」ギルガメシュはすすりなきながら，いいました。

けれども，エンキドゥは，目をさましませんでした。

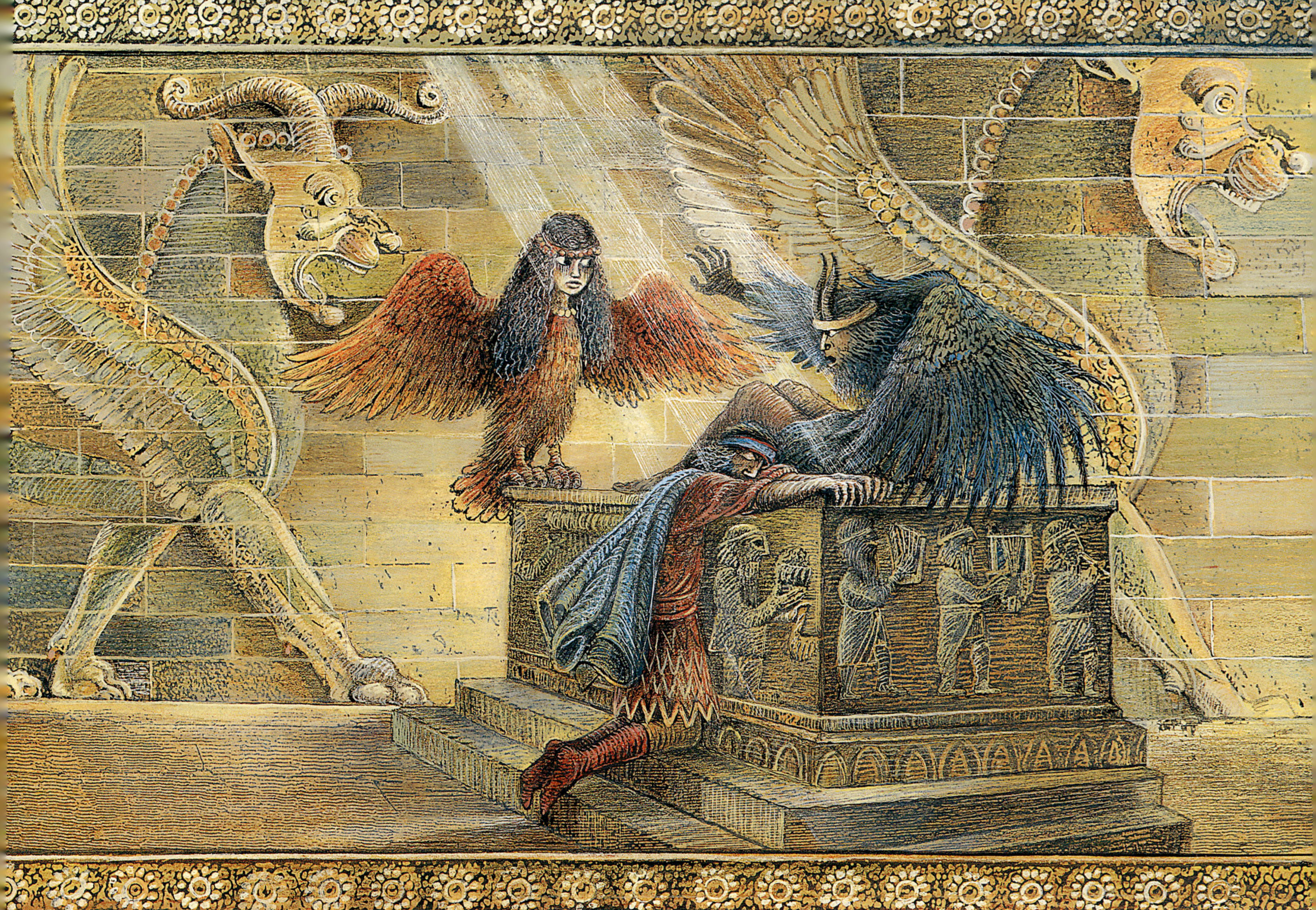

ウルクの都じゅうが，なげきかなしみました。
ギルガメシュは親友のために，墓をつくりました。
ある日の夕方，ギルガメシュが墓にひざまずいていると，
鳥になったシャマトが，エンキドゥのたましいをよみの
国へつれていくために，もどってきました。けれども，
エンキドゥは，いやがって，いいました。

「なぜ，きみは，わたしを，この都へつれてきたのだ？
わたしは，あの森でしあわせにくらしていたのに。」
「ここで，あなたは，すばらしい友をえ，あつい友情を
手にいれました。そして，人びとの，かわることのない
愛情もえたではありませんか。」シャマトはいいました。

エンキドゥとシャマトがとびたっていくと，
ギルガメシュ王は，ひとり，川へこぎだしました。
「死こそ，この世で，もっとも悪いかいぶつだ。」と
ギルガメシュは思いました。「死が，エンキドゥを
我からうばいさった。いつの日か，死は，我を人びと
からうばうだろう。死こそ，ほろぼすべきもの。死に
うちかつ方法を見つけなければならぬ！」

「我は行く。永遠の命をえるひみつをもとめて。それが，
わが最後の旅となるであろう。」

粘土板に記された物語

ギルガメシュ叙事詩は，世界最古の物語のひとつで，5000年以上昔に，メソポタミア(今のイラクとシリアのあるところ)で，粘土板に記されました。

この叙事詩は，私たちに，大昔のメソポタミアの人々の生活や，考えや信念，また，まわりの世界について，多くのことを伝えてくれます。ギルガメシュとエンキドゥが，怪物フンババを退治に行くときに通った森は，シリア北部にある森で，怪物フンババは，アナトリアからアルメニアにかけての山地にある火山であろうと思われます。ギルガメシュに拒絶されたイシュタールが怒ってひきおこしたとされる7年におよぶ旱魃が，この物語の中で天の雄牛として登場しています。

本書の冒頭にある，ギルガメシュとエンキドゥが遊んだゲーム盤は，イギリスの考古学者によって発掘され，大英博物館にあります。見返しの模様は，その装飾をもとに描いたものです。ゲームの部分品は全て発見されていますが，遊び方は，まだはっきりとはわかっていません。このゲームには，ウルの王室ゲームとか，12の四角のゲームとか，犬の軍団とか，数種の名があり，古代社会でとても人気があったようです。

メソポタミアは，世界最古の文明社会のひとつでした。チグリス川とユーフラテス川の間は，現在はほとんど砂漠ですが，大昔はたいへん肥沃な土地でした。8000年以上も前，人々が農耕をはじめると，豊かな作物がとれ，その余分が，やがては，町や，さらには，ニップール，ウル，ラガシュ，ウルクなどという都市の建設を可能にしました。このウルクを，ギルガメシュという名の王が支配したことがあり，その有名な城壁の廃墟を今でも見ることができます。

粘土の書き板は，19世紀に，フランスとイギリスの考古学者によってイラクとシリアの土のなかから発見されました。学者たちは書き板を自国へもちかえり，のちに，別の学者たちが，そこに記された楔形文字を解読しました。今日でも書き板の発見はつづいていて，あちこちの博物館で見られますが，ギルガメシュ叙事詩の記されているものは，めったにありません。ロンドン，パリ，フィラデルフィア，ベルリン(ここにイシュタールの門が復元されている)の博物館のコレクションはとくに有名です。

わが子，リンダとマルヴィナの協力に感謝します。

ルドミラ・ゼーマン

THE REVENGE OF ISHTAR

Retold and Illustrated by Ludmila Zeman

This Japanese edition published 1994
by Iwanami Shoten, Publishers, Tokyo
by arrangement with Tundra Books,
a division of Penguin Random House Canada Limited, Toront.

大型絵本
ギルガメシュ王のたたかい

1994年6月10日　第1刷発行
2019年12月25日　第7刷発行
文・絵　ルドミラ・ゼーマン
訳　者　松野正子
発行者　岡本　厚
発行所　株式会社岩波書店
〒101-8002　東京都千代田区一ツ橋2-5-5
電話案内 03-5210-4000　https://www.iwanami.co.jp/
印刷・半七印刷　製本・松岳社

ISBN4-00-110619-1　Printed in Japan

足をつかっての一見

ギルガメシュ王は孤独で，そのために，ひどく残酷になり人々を苦しめていましたが，森から来たエンキドゥという友ができてからは，思いやりのある王になり，ウルクの都はこの上なく安らかなところになっていました。しかし，恐ろしい怪物の襲撃で，その平安がおびやかされます。ギルガメシュ王とエンキドゥは力をあわせて，怪物と戦います。第２部は，その戦いの物語です。

ルドミラ・ゼーマンは，世界最古の物語の一つ〈ギルガメシュ叙事詩〉をもとに絵本とアニメーションフィルムを作るために，三つの大陸にある博物館にちらばっている遺物を入念に調べたということです。私も英国へ行き，大英博物館を訪ねたことがあります。わずかな時間でのことなので，あれこれ欲ばらないことにして，メソポタミア関係の展示のある部屋へ直行しました。目的の一つであった「王のゲーム」(本書の第１場面)はすぐにみつかり，つづいて，大洪水の話(本書にはまだ出てこない)を記した粘土の書き板もみつかりました。それから，たくさんの円筒印章やレリーフを見ましたが，どれがギルガメシュの物語に関係があるのかわからず，ぐずぐずしていると，二人の男性が博物館員らしい女性と展示物について話をしているのが見えました。ただの見学者ではなさそうなので，ぶしつけとは思いつつも，思いきってきいてみました。すると，前述の粘土板の他には，円筒印章が展示してあるが，円筒印章の方はギルガメシュ物語であるらしいと思われるが確かではないと，展示場所まで，とてもていねいに教えてくださいました。さっそく見に行きながら，その日の午後にメソポタミア文明についての講義があると受付できいたことを思いあわせ，あれは講師の博士ではなかったかと，どきどきしてしまいました。

百聞は一見にしかずといいますが，今は，映像や写真などによる一見(どころか十見も百見も)が可能な時代で，ときには，そのようなメディアを通した方が，詳細で鮮明なものを見られます。とはいえ，やはり足をつかっての一見は，まんざらではありませんでした。また，その後ロンドンで会ったアメリカ人が，イラクに７年住んでいた間に，ギルガメシュ王の話はよく聞いたと話してくれました。このことから，この古い古い物語が人々の生活の中に生きているようすが感じられ，おもしろく思いました。

第３部『ギルガメシュ王さいごの旅』は，親友を病気で失ったギルガメシュが，「死」を亡ぼし永遠の生命を得る方法を求めていく冒険の物語です。

松野正子

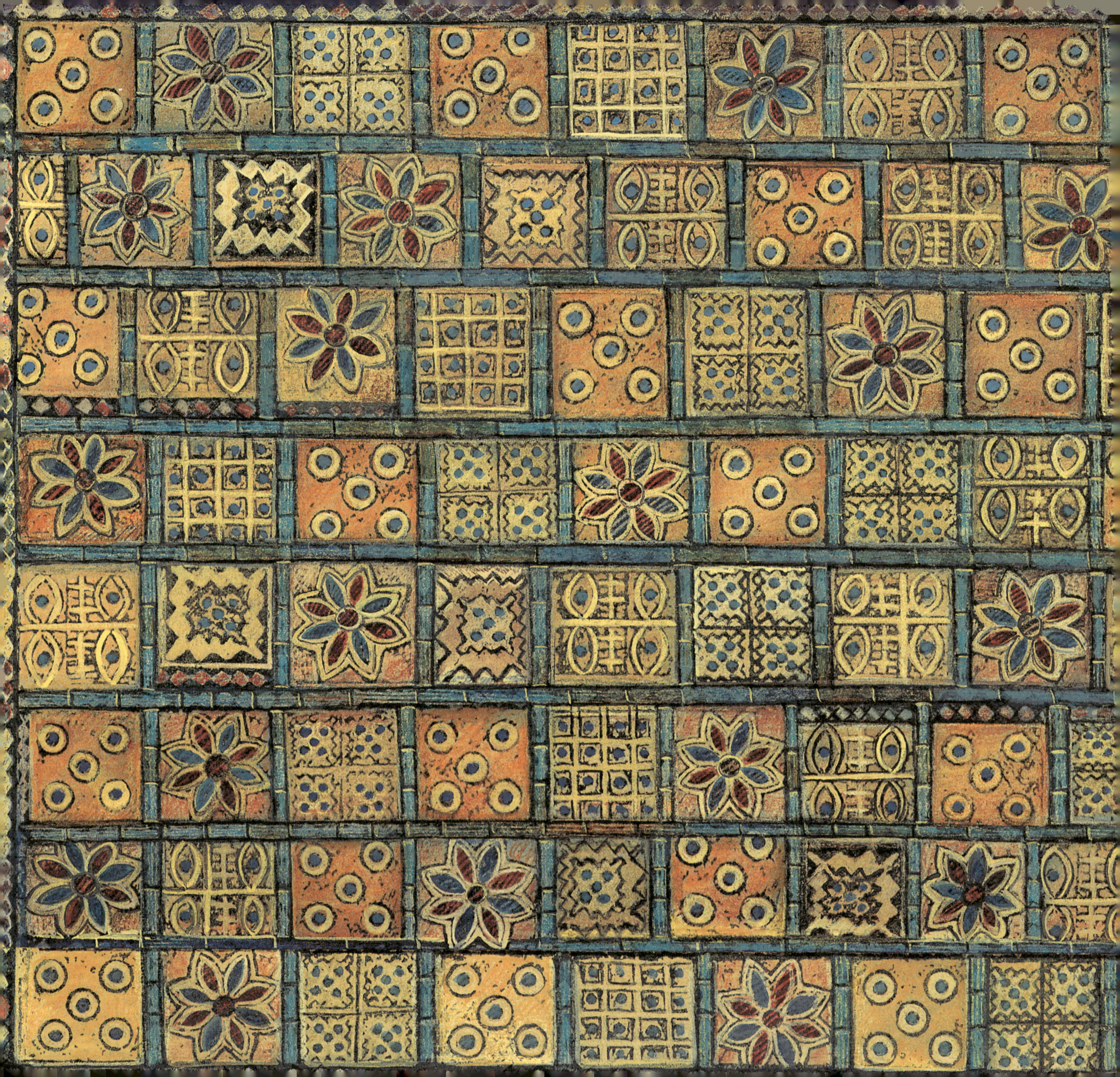